# Leaving

# நீங்குதல்

Anar

# Leaving

# நீங்குதல்

Translated from Tamil by
Hari Rajaledchumy with Fran Lock

poetry
translation
centre

First published in 2021
by the Poetry Translation Centre Ltd
The Albany, Douglas Way, London, SE8 4AG

www.poetrytranslation.org

ISBN: 978-1-9161141-8-0

A catalogue record for this book is available from the British Library

Typeset in Minion by Poetry Translation Centre Ltd

Series Editor: Edward Doegar
Cover Design: Kit Humphrey
Printed in the UK by T J Books Limited

The PTC is supported using public funding by
Arts Council England

# Contents

# Introduction

'My poetry is about that fire known as language, which a woman carries under water.' – Anar

Born in 1974 in Sainthamaruthu, a coastal town in Eastern Sri Lanka, Anar (Issath Rehana Mohamed Azeem) grew up under strict conventions of an orthodox Muslim family (her father was a Mawlawi). Anar's childhood was marked by the sporadic ethnic violence which, in later years, would become a fully fledged civil war. During this time, education was not considered a priority for girls and this was particularly true for girls in orthodox Muslim households. Anar's school life came to an end in 1990, the year she was supposed to sit her O Levels, as the town was caught in the aftermath of the Indian Peace Keeping Force withdrawal. The family's attempts to obtain identification papers necessary for their daughter to sit the examinations were repeatedly thwarted by military-imposed curfews. With her schooling stopped and armed fighting on the rise, Anar became house-bound at the age of sixteen. Her main creative outlet at the time, painting, was also shut down by her father. Confined to the house with an old radio as her only companion, she started to listen to poetry recitation programmes with increasing interest. It was during this time that Anar developed her unique taste for words and language. In secret, she started filling out the remaining empty pages of her school notebooks with poetry and, after a while, developed the courage to submit her poems to the radio programmes that had inspired her. The encouragement she took from hearing her poems read on the air, albeit at a low volume to avoid her family's censure, led her to take her writing seriously and devote herself to her craft.

Few years later, a family subscription to a broadsheet daily newspaper gave Anar an avenue to read poetry in print, ostensibly for the first time. Again, she submitted her poems and two were accepted. The unwanted confrontation with her family this caused led Anar to adopt multiple pseudonyms as she continued to develop her writing and publish with growing support from peers in the literary community.

Sri Lankan Tamil poetry in the 1990s was radically mute and ambiguous in tone when compared to the war cries and open political pronouncements of the 'resistance poetry' that marked the previous decade. More than the apparent rise in state terror, militarism and dogma, a dissenting politics of belonging (to both location and ethnicity) is crucial to understanding this shift. Poets who emerged in this decade, Anar included, came bearing witness to the mass scale expulsion of Muslims from the north and the casualised brutality of ethnic fratricide among liberation movements. This witnessing deeply complicated any comfortable belonging within the easy narratives of liberation. It also challenged hard-won solidarities across ethnic lines. A pre-eminent majority of this generation opted for unassigned or abstract language. Their metaphors and images were multi-layered and complex as opposed to the direct political lyricism of 1980s militancy.

The 1980s had been a period of prolific female authorship. Women began to write and publish poetry at a scale never previously seen. Their poems addressing arbitrary arrests, enforced disappearances, rape, torture, and other indignities of female experience under a male-dominant culture at war. By the end of the decade, the lack of literary representation for 'women's experience' had become a widely accepted critique. Yet, by the mid 1990s, Dalit feminist voices began to challenge the universality of this critique.

Anar arrived into the literary scene fully aware of these inheritances and losses. Her voice was restrained and oracular from the start. It proclaimed, condemned, and exclaimed with such ease and authority, while maintaining a guarded distance to its own settings. The vatic, knowing narrator in

8

'Further Additional Blood Notes' is shaken, yet remains fully aware of the horrors that surround her. In 'News Report', the seeming faith in realism hinted by the title is soon undone by the irreverent, satirical tone with its deep contempt for the absurdities of casualised political violence. Even when the poet is having to speak of a highly specific incident, like the killing of her dear friend, the poet Chandrabose Suthagar, in 'Raindrops on a Cashew Tree', the lyricism performs a transcendental exaltation veering into the supernatural, gnostic sentiments. A refusal to get tied down to the political is fiercely alive in all her poetry.

An intense trauma of lost girlhood is explicitly at the centre of two poems in this collection. The melancholy of unlived freedoms haunts Anar's language and teases it to invent new, possible worlds for embodied inhabitation. Loneliness, abandonment and visceral horror are predominant affects. Her hyper-vigilant speaker-protagonists are acutely aware of their need for a sanctuary and solace. They're conscious of the power of their language and how that power is also, sometimes, their peril. The opening poem of this selection, titled 'Woman', is a good example of this ambiguous attitude. After earnestly proclaiming her ability to manifest landscapes and take multiple forms, the speaker ends by posing the question 'Where could / I hide myself?'

In the original Tamil, Anar's short lines care little for grammatical boundaries and sequential logic. The end-stopped lines often bleed into each other, sometimes with elliptical pauses, enabling dream-like circulation and free associations to emerge in the poem. Compared to most contemporary Tamil poetry in Sri Lanka, Anar's lineation more liberally evades the verb finality rule, choosing instead to end (and begin) through an object at the end-stop. At times this is heightened further with an elliptical pause that takes the reader on by surprise. Nevertheless, in our translations, we introduced punctuation and reworked the lineation. These elements were difficult to replicate faithfully in the English translation and diluted the urgency of voice that her work has in the original.

Anar's voice, at once elegiac and oracular, gives form, however abstracted, to what would otherwise be lost. What she achieves in poetry is nothing short of miraculous. It is grounded in a deep commitment to inexpressible truths and the reparative solace of beauty. Her poetry operates with a considered faith in language as a potential agent for transcendence. Her poetry speaks for what could have been and so it invites us to speculate on what might still be. It provides an openness to repair.

Hari Rajaledchumy

*Poems*

## பெண்

மழைக்கு முன்பே
காற்று குளிர்ந்துவிடும்போது
இலைப் பச்சையாக மாறிவிடுகிறேன்

அடி நிலத்தின் கீழ்
திரவியமாய் விழைகிறேன்

பித்தமேற்றும்
ஆர்ப்பரிக்கும் கடலின்
உப்பை விழுங்கிய ஆகாயம்

கனவும் விஷமுமான
மந்திரம் நான்

காலங்களின் மீது
அறைகூவல் விடுக்கும்
சொல் ஒன்றின்
இடதும் வலதுமாவேன்

என்னை
எங்கு ஒளித்து வைக்க முடியும்

# Woman

When the air starts to cool
anticipating rainfall
I morph into leaf-green.

I am a burgeoning treasure,
under the earth.

I am the sky
that has swallowed up
salt from a mutinous sea.

I am a spell
that is both dream
and poison.

I am opposing
poles of a word,
sending its war cry
out into time.

Where could
I hide myself?

## சாபம்

### 1

ஜன்னலுக்கு வெளியே
இருட்டை
மின்னல்கள் பிளக்கின்றன
கண்ணிமைகளை மூடினாலும்
இடியின் சத்தம்
கண்ணாடியில் மோதுகின்றது
கட்டில் போர்வைக்குள் புதைகிறேன்
போர்வைக்குள் மீன்கள்
வெறித்த கண்களோடு நீந்துகின்றன
பிறகு
வழமைபோலவே போர்வைக்குள்
நீர் வற்றத்தொடங்கிவிடுகிறது

### 2

நான் யார் என
உற்று நோக்குகிறேன்
முன்பின் அறியாததைப் பார்ப்பதுபோல
எங்கு தொலைந்திருப்பேன்
நானில்லாதவற்றில் கண்டுபிடித்து
திகைக்கிறேன்
அவன்
கண்களுக்குப் புலப்படுவதில்லை
மாறாக
அவன் தேடுவதுமில்லை
எவ்வளவு அந்நியமானவள்

14

# Curse

1

Beyond the window,
darkness.
Lightning strikes,
I close my eyes.
Thunder echoes
against the mirror.

I go under
the quilt,
where fish swim
with dead eyes, until,
as predicted, the water
begins to dry up.

2

I look closely
to see who I am.
*Where did I get lost?*
A nameless wraith.

With disbelief I find myself
in that which is not myself:

*He* is not visible
to my naked eye.

15

என்பதை அறியாமல் கூடுகிறான்
நள்ளிரவில் அலையும் விலங்கு
சிறைக்குள் புகுந்து புசிக்கின்றது
தனக்களிக்கப்பட்ட வேறொன்றைப்போல
தன்னையே !

*He* does not search.
*He* fucks without knowing
how far away I am.

Wandering animal at midnight:
it enters the prison, and feeds
on itself.

This *Other* offered
as a feast.

## சுலைஹா

மேலும்
உங்களுக்குச் சொல்லவேண்டும் என்றால்
நான் அர்த்தங்களுக்கு வெளியே வளர்பவள்

கல்லும் கல்லும் மோதிவரும்
நெருப்புப் பொறிகளால் உருவானவள்

இங்கிருந்தும் அங்கிருந்தும்
தாவுகின்ற மின்னொளி

கடந்தகால சாபங்களிலிருந்து மீண்டவள்
எதிர்காலச் சவால்களை வென்றவள்

ஒட்டகங்களைப்போல்
மலைகளைக் கட்டி இழுத்துவரும் சூனியக்காரி

ஒளியை அணிந்திருப்பவள்
உப்புக்குவியலைப்போல் ஈரலிப்பானவள்

இறுமாப்பு என்னும் தாரகைகளாக
வீசியெறிந்திருக்கிறேன் என் பருவங்களை

கண்களிலிருந்து காதலைப் பொழியச் செய்பவள்

கனவுகள் காண ஏங்கும் கனவு நான்

என் உடல் செஞ்சாம்பல் குழம்பு

## Zulaikha

If you have to know – know this:
I grow beyond meanings.

I am the spark
made from striking stones.

I am a lightning streak
that leaps from here to there.

I have redeemed the years of sin.
I have swept aside all obstacles.

A sybil,
who moves mountains like camels.

I wear the light like a dress,
I am moist as a mound of salt.

I have flung my seasons high,
stars of scorn and pride.

I turn eyes into tempests of love.

I am a dream
that yearns to dream.

My body is red molten lava.

கத்திகளால்
கைகளையோ கனிகளையோ
வெட்டிக்கொள்ளாதவள்

காதலால் கத்தியை உடைத்தவள்

நான் யூசுப்பைக் காதலிப்பவள்
சுலைஹா

I never
chopped hands or fruits
with knives.

I broke the knife with love.

I am she who loves Yusuf
I am Zulaikha.

## கருமை

முற்றுமுழுதாய் இருட்டி
கறுத்துப்போன அமாவாசையின் ஏணியில்
உன் உயரங்களுக்கு
ஏறிவருகின்றன என் கால்கள்

இருட்டிய மழைக்காற்று
தூசிகளாலும் காய்ந்த இலைகளாலும்
ஆகாயத்தை நிரப்புகின்றது

கருமுகில் மூட்டங்கள் மூடியவானத்தின் கீழ்
காகங்கள் மாத்திரமே பறவைகள்

வீசிக்கொண்டிருக்கும் புயலுக்குள்
ஒரு ஜன்னல் என
என் கண்கள் திறந்துகிடக்கின்றன

முதலும் முடிவுமற்ற
உன் உச்சரிப்புகள்
இடத்தைப் பாழ்படியவைத்து
வவ்வால்களாகத் தலைகீழாய்த் தொங்குகின்றன

என் உதடுகளை
விரல்களை
சுழலும் காற்றில் உதிர்த்துவிடுகிறேன்

காரிருளில் பாய்ந்தோடும்
கறுப்புக் குதிரையின் கண்களில்
இறுகி மின்னுகிறது

22

## Blackness

In total darkness, I climb
toward you, up the ladder
of the new moon: *Amavasai.*

The gravid wind
that brings rain
fills the sky
with dust and dry leaves,

and the upper air is covered
in brooding clouds.
The crows alone are birds.

My eyes are thrown open:
windows in a squalling storm.

The words you utter hang
like bats. They've no beginning
and no end; they bring
a dereliction.

I shed my fingers
and my lips
in the whirling wind.

My tears
roll upwards and glisten
in the eyes of a black horse.

என்னுடைய கண்ணீர்

கறுப்பு மொழியின் கரைகளிலே
எங்கோ ஒதுங்கிக் கிடக்கும்
இரு கூவல் சங்குகள்
என்னுடைய காதுகள்

It gallops through the thick
of the night.

My ears
are two trumpeting conches,
washed ashore on the banks
of a dark speech.

# வெயிலின் நிறம் தனிமை

## 1

நடுப்பகலில் என் வெறுமையுள்
வெயில் எரிந்து கொண்டிருக்கின்றது
சாந்தமாகவும்
அதே நேரம் கனன்றபடியும்
பகல்நேர ஆசுவாசத்தின் மறைவில்
தனிமை தன் தந்திரங்களுடன் ஊடுருவுகின்றது
வெயில் வீட்டிற்குள் வருகின்றது
அதன் விருப்பப்படி உட்கார்ந்திருக்கிறது
பரிவும் வருடலுமில்லாத சிடுமூஞ்சியைத்
    தூக்கிக்கொண்டு
புழுங்கும் சர்வாதிகாரத்தை
எங்கும் விசுறுகின்றது
உக்கிரமாய் வியாபித்து இறுகிக்கிடக்கின்றன
எல்லாவற்றின் மீதும் தீவலைகள்
இன்றைய நாளின் உஷ்ணத்தில்
நெஞ்சில் தீய்க்கும் சுடுவெயிலில்
எந்தத் தீர்மானங்களுமில்லை
நீண்டு உயர்ந்த மரங்களுக்கிடையில்
விழுந்து முகம்பார்த்தேங்குகின்ற
அந்திவெயில் துண்டங்களில்
என் தனிமையின் பெரும்பாரம்
ரத்தமாய் கசிகின்றது

# Loneliness is the Colour of Sun

1

At noon, in my desolation,
hangs a scorching sun, both
calm and fierce.

In the shade, a brief respite,
but loneliness creeps through
the cracks, with its tricks,

as sunlight enters the shuttered
house, and takes a seat at will.

With a petulance that repels
embrace, the sun is a sultry
tyrant. Its dictatorship will
march across every available
surface.

Sweat-beads bloom
in the heat of the day.

In a light that chars my chest
there are no resolutions.

Among tall trees,
the longing sun of evening

2

தனிமையின் குரலிலிருந்து
மெல்லிய விசும்பல் உதிர்கிறது
பனிப்பொழிவைப் போன்று
வெண்மையும் நடுக்கமும் மிக்கதாய்
அரண்மனையின் நீண்டபடிகளின் கீழ்
ஓநாயின் வடிவத்திலிருக்கிறது தனிமை
உதாசீனம் செய்கின்ற
ஒவ்வொன்றையும் அழச்செய்கின்ற
இலையுதிர்காலம் ...
தீராத கவலைபோல் சிறியதும்
பெரியதுமாய் மலைப்பாறைகள் ...
நதியோரம் நீலச்சாயலுடன் ததும்புகின்ற
வெறும் வானம் ...
அணில் குஞ்சுகளின் விந்தையான ஒலிகள் ...
அனைத்தும்
தனிமை ஜன்னலில் விழுந்து தெறிக்கின்றன

has fallen into fragments
and is flowing out like blood.

This is the great weight
that is my loneliness.


2


In solitude's tongue
a faint cry falls like snow.
Pallor and tremor, under
the long stairs of the royal palace,
where loneliness takes the form
of a wolf.

Fall season disdains all,
makes the world weep:

the peaks and plateaus
that mimic an endless worry,
the bubbling plane of sky
reflected on the riverbank;
squirrelling sounds.

All
fall and echo
on the window
of loneliness.

3

துரதிர்ஷ்டசாலியின் நழுவிப்போன தருணங்கள்
எங்கோ பற்றியெரிகின்றது பெருந்திடலாக
வீடு தனிமைக்குள் கேட்காத
கதறலாய் இருக்கிறது
மூச்சு திணறுமளவு பூட்டிய அறையினுள்
தனிமையின் புகைச்சல்

மறைவான புதர்களுக்கிடையில்
வேட்டையாடப்பட்ட இரையை
சத்தமின்றிப் புசித்தபடியிருக்கும் அரூப மிருகம்

தனிமையின் பள்ளத்தாக்கில் நானிருந்தேன்
காலங்களால் கைவிடப்பட்ட
ஒற்றைப் பட்டமரமாக

3

The missed opportunities
of an inveterate loser will
burst into flames somewhere.

The house sits inside loneliness
like an unheard scream in a shut-
up room set aside for suffocation.

Solitude smoulders,
abandoned even by time.

Like a lone dead tree
I remain in the valley
of solitude.

# நீங்குதல்

எறும்புகள் பகல் கனவுகளை மொய்க்கின்றன
பின் இழுத்துச் செல்கின்றன

தாரை தாரையாக
உருகிக் கரிக்கின்ற உப்புத்துளிகளை
காயங்களில் இருந்து குடைந்து
எடுத்துச் செல்கின்றன
மணல் புற்றுகளின் களஞ்சியங்களுக்கு

குருத்தெலும்புகளை அரித்துக் கொண்டிருந்த
வெறுமையின் உதிரத்தை மணந்து
ஒன்றுக்கொன்று கனவுக்குள் சம்பாஷித்துக்
    கொள்ளுகின்றன

தனக்குத்தானே தூபமிடும்
வசியமறிந்தவர்கள் அறிவர்
காலத்தைத் தூவி விசிறும் பகல் கனவுகள்
ஏன் காணப்படுகின்றன

மணல் புயல்களின் சூறைகளை
மூடிக்கொண்டிருக்கும் புற்றுகளின் சுரங்கங்கள்
இடம்பெயரக் கூடியன

புற்று மணல் நிறம் மாறி மாறி
கனவின் சாயலை உமிழ்கின்றது
சமிக்ஞைகள் வழங்கப்பட்ட எறும்புகள்
புற்றிலிருந்து விரைகின்றன.

## Leaving

Ants swarm over the day-
dreams, dragging away, line
by line, the oozing salt-streams.

They carry the wounds
they have mined to their sand-
silos.

Futility is cutting through cartilage.
They smell its blood. They talk
to each other in dreams.

Those who light incense
to themselves know well
why time burns daydreams
into smoke.

These anthill mines
conceal sandstorms.
They migrate and move.

The anthill spits
out dream's resemblance.
The sand changed its colour.
The ants receive the signals, flee
the anthills.

மர்மங்கள் வெளியேறும்
மணிக்கட்டின் அறுந்த நரம்பிலிருந்து
வழியும் குருதியில்
அந்தியின் சூரிய ஒளி பட்டு ஒளிர்கிறது

From the cut wrist
mysteries seep out,
and against the pooling blood
shines the evening sun.

# நிருபரின் அறிக்கை

கொலை நடந்து நான்கு
    மணித்தியாலங்களாகின்றன
விறைத்த விரல்களுக்கிடையில்
ஊரத் தொடங்கிவிட்டன எறும்புகள்
நுரைதள்ளிய வாயை
ஈக்கள் சுதந்திரமாக
    மொய்த்துக்கொண்டிருக்கின்றன
வெற்றுடம்பில் பின் கட்டப்பட்ட கைகளில்
முறிந்து தொங்கிய கழுத்தில்
அகல விரிந்துகிடந்த கால்களில் தெரிகின்றன
சந்தேகமின்றி இது திட்டமிட்ட கொலை
    என்பதற்கான
அத்தாட்சிகள்
முதலில் வார்த்தைகளைத் தின்றுவிடுகிறது
    மரணம்
இறந்தவன் கண்கள் மூடியிருக்கின்றன
அந்த கண்களின் இறுதி எதிரொலி
எவருடைய ஆன்மாவிலும்
    மோதியிருக்கவில்லை
மூங்கில் பற்றைக்குள் வீசப்பட்டவனை
காற்றும் சூரியனும் அளைகின்றன...
இரண்டொரு இலைகள் விழுந்து அவனுக்கு
இறுதி மரியாதை செய்கின்றது
மர்ம மனிதன்
கொலை புரிந்த களைப்பில்
எங்கேனும் பீர் குடித்துக் கொண்டிருக்கலாம்
அல்லது தலைவனுக்கு தகவல்சொல்ல

## News Report

It has been four hours since
the murder happened.

Ants start to crawl
between the cold-stiff fingers.
Flies swarm freely
on the foaming mouth.

By the body, stripped and empty.
By the hands, tied behind the back.
By the legs, stretched and splayed.
Beyond doubt: you can see
for yourself the strategy, the plan.

Death eats up the words,
at first.

The eyes of the dead are closed,
their last echo never fell on
the soul of another.

In the bamboo bush,
wind and sun whisper
over his body;

one or two leaves fall on him,
paying their final respects.

SMS செய்துகொண்டிருக்கலாம்
முற்றாக பழுதுபட்ட 'இயந்திரம்' புகைவிடத்
    தொடங்கி
தேசத்தின் முகம் இனங்காணமுடியாதவாறு
கரி அப்பிக்கிடக்கின்றது
உயிரோடிருக்கின்றது குற்றம்
உயிர் விட்டிருக்கின்றது நீதி
நிலத்தில், வாழ்க்கையில்
தன்னுடைய நம்பிக்கையில்
பிணம் உணர்வறுத்துக்கிடக்கிறது

Perhaps now, the *unidentified killer*,
worn-out and weary from the deed,
is sipping his beer somewhere, sending
a text to his leader: an update.

A broken machine explodes
into smoke.
Soot covers the nation's face.

Crime is alive.
Justice, no more.
On the land and in hope –
the lifeless corpse remains.

# முந்திரி மரத்தில் மழைத்துளிகள்

அது
காதலுக்கு மிக அருகில் இருந்தது
மிக அருகில்
உக்கிரமிக்க யுத்த நிலத்தில் நீயும்
கண்காணிப்பும் அச்சமுமான பயணத்தில் நானும்
வாழ்வை எழுதிக் கொண்டிருந்தோம்
இழப்புகள் உயிரில்
கனவுகள் கண்களில் சேர்ந்திருந்தன

முதுவேனிற்கால வல்லூறுகள் சத்தமிடும்
மின்சாரமற்ற இரவில்
உன்னைச் சுட்டுக் கொன்றனர்
செம்மணலில் உன்னுடைய இரத்தம்
உன்னுடையை இறுதிக்கவிதையை எழுதியது
மனைவி மகன்களின் கண்முன்னே
புறாவின் ஒடுக்கமாய் நீ இறந்தாய்
குமுறி வெடித்த அவர்கள் சப்தங்கள்
இந்தப் பாழும் உலகை மோதிய போது
உணர்வுமிக்க கவிஞனைப் பறிகொடுத்தேன்
காதலுக்கு மிக அருகில் இருந்தது
கடலை ஊமையாக்கிவிடும் துயரம்

நாய்கள் ஊளையிடும் நடுநிசியில்
நீ எனக்கெழுதிய கடிதங்களில்
அந்நியமான காலடி ஓசைகளும்
பயங்கரமான நடுக்கங்களுமிருந்தன
இப்போது உன் எழுத்துக்கள் என்னோடு
    கிசுகிசுப்பதை

# Raindrops on a Cashew Tree

That
was very close to love.
Very close.

You, in the acute kingdom of war.
I, on a journey, surveiled and afraid.
We were writing life: losses weighing
on the soul; dreams wetly swelling
in the eye.

On a night without electricity,
when the autumn falcons cried,
they shot you down.

On the red sand, blood
wrote your final poem.
You died like a pigeon in recoil
in front of your wife and sons;
their joint cry welled up,
bursting into this wretched world.

I lost a poet who felt too much.
A grief that could silence a sonorous sea.
That was very close to love.

In the letters you wrote, on midnights
when the dogs howled, there were strange
footstep-sounds and a terrible trembling.

எதையோ விசும்புவதை
படுக்கையில் வியர்வைவழிய
    துணுக்குற்றுணர்கிறேன்
உன் பிரிவிலிருக்கின்ற அகற்றமுடியாத இருட்டு
மலைமுகடுகளில் திரும்பத் திரும்ப உறைகின்றது

பனிக்காற்றில் சாந்தம் கொள்ளும்
எளிமையான உனது கல்லறையில் வைப்பதற்கு
உண்மைகள் பற்றிய கவிதையை
மௌனங்களால் எழுதி வருவேன்
விடுபடமுடியாத வலியுடனிருப்பவளுக்கு
உனது மென்மையான இதயத்தைப் போன்ற
    பூச்செண்டை
குழந்தைகளுக்கு முத்தங்களையும் கொண்டு
    வருவேன்

மழைத்துளிகள் சொட்டுகின்ற
முந்திரி மரத்தை கடந்து செல்லும்
புகைமூட்டமான காற்றில் –
பறந்து கொண்டே இருக்கின்ற உன் விழிகள்
எல்லாவற்றையும் கவனித்துக் கொண்டிருக்கும்


*சந்திரபோஸ் சுதாகருக்கு*

Now your writings whisper to me,
amidst sobbing. On the bed, I jolt
awake in sweat. The indelible darkness
of our separation falls on the hilltops,
again and again.

To place on your simple gravestone,
calm in the cold air, I bring a poem
about truths. I wrote it with silences.

To your wife who cannot part with her pains
I bring a bouquet just as soft as your heart.
To your children, I bring kisses.

In a whirling foggy wind
that passes the cashew tree,
soaked in rainfall, dripping
with raindrops, your eyes
fly over everything
keeping watch.

*for Chandrabose Suthagar*

# பெண்பலி

அது போர்க்களம்
வசதியான பரிசோதனைக் கூடம்
வற்றாத களஞ்சியம்
நிரந்தர சிறைச் சாலை
அது பலிபீடம்
அது பெண் உடல்

உள்ளக்குமுறல்
உயிர்த்துடிப்பு
இருபாலருக்கும் ஒரே விதமானது
எனினும்
பெண்ணுடையது என்பதனாலேயே
எந்த மரியாதையும் இருப்பதில்லை அதற்கு

என் முன்தான் நிகழ்கின்றது
என் மீதான கொலை

## Killing a Woman

Here is a battlefield,
a convenient clinic, a silo
of superabundant supply,
a permanent prison.
Here is a woman's body,
a sacrificial slab.

The heart's ache, the pulse
of life, belongs to us both, but
for women it will not take root.

Before my eyes
my murder is happening.

# மேலும் சில இரத்தக்குறிப்புகள்

மாதம் தவறாமல் இரத்தத்தைப் பார்த்து
பழக்கப்பட்டிருந்தும்
குழந்தை விரலை அறுத்துக்கொண்டு
அலறி வருகையில்
நான் இன்னும் அதிர்ச்சியுற்றுப் பதறுகின்றேன்
இப்போது தான் முதல் தடவையாக காண்பதுபோன்று
"இரத்தம்" கருணையை, பரிதவிப்பினை
அவாவுகின்றது
இயலாமையை வெளிப்படுத்துகின்றது

வன்கலவி புரியப்பட்ட பெண்ணின் இரத்தம்
செத்த கொட்டுப் பூச்சியின் அருவருப்பூட்டும்
        இரத்தமாயும்
குமுறும் அவளுயிரின் பிசுபிசுத்த நிறமாயும்
குளிர்ந்து வழியக் கூடும்
கொல்லப்பட்ட குழந்தையின்
உடலிலிருந்து கொட்டுகின்றது இரத்தம்
மிக நிசப்தமாக
மிக குழந்தைத்தனமாக

களத்தில்
இரத்தம் அதிகம் சிந்தியவர்கள்
அதிக இரத்தத்தைச் சிந்த வைத்தவர்கள்
தலைவர்களால் கௌரவிக்கப்பட்டும்
பதவி உயர்த்தப்பட்டும் உள்ளார்கள்
சித்திரவதை முகாம்களின்
இரத்தக் கறைபடிந்திருக்கும் சுவர்களில்
மன்றாடும் மனிதாத்மாவின் உணர்வுகள்
தண்டனைகளின் உக்கிரத்தில்

## Further Additional Blood Notes

Though used to seeing blood every month,
I am still shaken when a child
comes to me bawling with a cut finger.

As if I am seeing it now for the very first time:
the blood seeks my compassion
and my kindness. It expresses not pain
but a bottomless defeat.

The blood of a raped woman
may ooze and grow cold:
the viscous flow of her life's colour,
the revolting juice from a dead wasp.

Body of a murdered child,
whose blood drips down
quite silently, quite innocently.

On the battlefield, those who offered
their blood and those who shed it,
in such abundance, have been promoted.
They are honoured by our leaders.

In the torture-camps, on the blood-
stained walls, the prayers of the sunken
soul are shattered.

The blood-scent of revenge.
The blood-scent of pillage.

தெறித்துச் சிதறியிருக்கின்றன
வன்மத்தின் இரத்த வாடை
வேட்டையின் இரத்த நெடி
வெறிபிடித்த தெருக்களில் உறையும் அதே இரத்தம்
கல்லறைகளில் கசிந்து காய்ந்திருக்கும் அதே இரத்தம்
சாவின் தடயமாய்
என்னைப் பின்தொடர்ந்து கொண்டே இருக்கிறது

The same blood congeals on the crazed streets,
the same blood seeps and dries on the tombs.

They are death's traces –
never far behind.

# அக்காவுக்குப் பறவைபோல சிரிப்பு

உயரத்தில் அவ்வளவு உயரத்தில்
அக்காவை வைத்திருந்தோம் இன்னொரு தாயாக
அவளது கரங்கள்
எப்போதும் வற்றாது கிளைபிரிந்தோடும் நீரோடை
அதன் கரையின் குளிர்மையில்
தங்கைகளும் தம்பிகளுமாக
விளையாடிக்கொண்டிருந்தோம்
பொறுப்பு வாய்ந்த முடிவுகளை
அவளிடமிருந்துதான் நாங்கள் பெற்றுக்கொள்கிறோம்
சமமான நம்பிக்கை
சமமான அன்பு
எப்போதும் வண்ணங்கள் வெளிப்படும்
ஆகாயம் அவளாகினாள்
மென்மையாக ஊறுகின்ற குளிர்காலத்தில்
செடிகளைப் பிடுங்கி நடுவதும்
தென்னோலை உரசல்களைப்போன்று
பாடலிசைப்பதுமாக அலைவாள்

அன்பூறும் நேரத்தில்
பொங்கும் அன்போடு அவள் கரம்பிடித்துச் சுற்றுவேன்
சுழற்றுவேன்
அப்போது அக்காவின் சிரிப்பு
பறவையைப்போல் பறந்து செல்லும்
நான் இன்னும் அவள் சிரிப்பதற்காய்
கிறுகிறுத்து ஆடும் பொன்வண்டு

பின்பொரு நாள்
ஈயக்கரைசல் துளிகள் அவள் கண்களில்
கசிந்ததைப் பார்த்தேன்
நானோ புதிர்கள் புரியாதக் குட்டிப்பெண்
தூண்டில்போட அழைத்துவந்தோம் அக்காவை
பாசிபடிந்த குளக்கரையில் கால்களைவிட்டு
நீரை ஆர்வமின்றி அளைபவளிடம் கேட்டேன்

# My Sister Laughs Like a Bird in Flight

We held Akka aloft
at a height, at such a height
she was like our other mother.

Her hands were the branching creeks
of a stream that never ran dry, and we,
her brothers and sisters, played at her
shaded shore.

From Akka alone we received
steadfast decisions: a balance
of trust, a balance of love.

She became our sky,
parading eternal colours.
In the slow soaking cool of winter
as she sets out her plants in the garden,
her hum the rustle of palm fronds.

In a burst of love, I'd catch
her hands and whirl around.

Her laughter then was like a bird in flight,
and I, a dizzy dancing beetle, goading her
to laugh more and more.

Then one day I found
tears of molten lead
seeping from her eyes.

I was a little girl, couldn't fathom the riddle.
We brought her to catch fish with a hook,
and she sat apathetic on the mossy bed by

இந்த குளிர்த்திப்பூச்சிகள்
வரிசையாக எங்கே செல்கின்றன
'கனவுகள் முடியும் இடத்திற்கு என்றாள்'
கலைந்து ஒழுங்கில்லாமல் கிடந்த அவளது
நீண்ட கூந்தலை பின்னி முடித்தபொழுது
அக்கா என் மடியிலே நித்திரையாகியிருந்தாள்
அதன் பிறகு வேறொருபோதும்
பறவைகள் சிறகடித்துச் செல்லும்
சிரிப்பை அக்கா சிரிக்கவேயில்லை

the pond, sinking her feet in the water without
 interest.

Where does this line of water-
beetles lead? I asked.
Where dreams come to an end, she said.

After I plaited her long, unkempt hair,
Akka fell asleep in my lap.
Never again have I heard that laughter:
the collective wing-beat of birds –
in flight.

# அழைப்புகள் வராத செல்போன்

பூமியின் பாதாள மறைவிடங்களில்
பூகம்பம் நிகழ்ந்திருக்கலாம்
நிலச்சரிவின் அடையாளம் தெரிகின்றது
எரிமலையின் ஆழத்தில் நெருப்பு
புகைவிடத் தொடங்கிற்று
வீட்டுச் சுவர்களில்
இரண்டாகப் பிளந்த வெடிப்புகள்
        தோன்றுகின்றன
நேற்றுப் பார்த்துப் பார்த்து
துடைத்து வைத்த பளிங்குப் பாத்திரம்
எதிர்பாராமல் கைதவறி நொறுங்கிற்று
குழந்தையின் புதிய ஆடையில்
தையல் பிரிந்திருக்கிறது
குறித்த இலக்கத்திலிருந்து
அழைப்புகள் வருவதில்லை
செல்போனுக்கு

கனத்த பனிமூட்டம்
பாதையை மறித்து நிற்கிறது
தொலைவில் அந்த உருவம்
வந்துகொண்டிருக்கின்றதா
போய்க்கொண்டிருக்கின்றதா
எனத் தெளிவாகத் தெரியவில்லை

# Mobile with No Incoming Calls

An earthquake has taken place
within the secret subterranean centre.
The wreckage of a landslide lies
exposed to eye and air. While deep
down the volcano smoulders.

In the walls of the house, splitting
cracks appear. The crystal vase,
dusted and cleaned with great care
yesterday, slipped from my startled
hands and smashed into fragments.

In the new dress of a child, the stitching
comes undone. From the saved number
no call comes to my mobile, at all.

A dense fog forms, solidly
shrouding the path ahead.
At a distance, a human figure:
whether arriving or leaving
I cannot tell.

# இல்லாத ஒன்று

இரவு மின்விளக்குகளில்
வெளிச்சம் பூத்துக்கிடக்கிறது
மைதானத்தின் குட்டையான
        வேலிக்கம்புகளுக்குள்
ஆட்டு மந்தைகள்
அருகம் புல்லைக் கடிப்பதும்
இளிசறி இலைகளை ருசித்தபடியும்
சும்மா படுத்திருக்கின்றன
இயல்பை நேர்த்தி செய்தவாறு

அவற்றிற்கிருக்குமா
சுட்டு வலிக்கின்ற ரகசிய ஞாபகங்கள்
இல்லாத ஒன்றுக்கான ஏக்கம்
நாளாந்தம் எண்ணங்கள் வைத்து
நினைவும் மறதியும் ஆடுகிற சூதாட்டம்

கைதவறிச் சிதறிப்போகிற தேநீர்க்குவளை
தலைக்குமேல் மிதந்து திரிகிற பூச்சிறகு
அல்லது வெறும் அசைவற்ற ஒரு வெளி
எவ்விதமாகவும்
நான் தோன்றியிருக்கக் கூடும்
உனக்கெதிரில்

எவ்வேளையும் பிசகாமல்
நீ இருக்கிறாய் என் முன்
எப்போதும் இல்லாத ஒன்றென

## Absence

Light has blossomed
within the night's electric lamps.
Corralled by the low fences
of the park, sheep lie listless, chewing
arugam grass and ilisari leaves,
fine-tuning a sense of normality.

Do they possess
secret memories that scald and sting?
Thoughts gambling between recollection
and amnesia. Yearning, day upon day.

As the teacup that falls
and breaks, as the petal wing
that floats above the head,
or merely as a plain, still void:
in such shapes I might have
appeared to you.

Never missing a moment,
you are in front of me.
an enduring absence.

## Notes on the poems

'Zulaikha' – The poem is inspired by the classic mediveal love story 'Yusuf and Zulaikha'.

'Raindrops on a Cashew Tree' – Chandrabose Suthagar was a poet and a freelance journalist killed on 16th April 2007. He was shot inside his house by six gunmen who entered his house. His eight-year-old son stated that the killers spoke both Tamil and Sinhala. His home was located inside a government held area.

# Afterword

Anar pictures a waterproof and fireproof and shatterproof space, a carnal cave or rueful refuge, which a Muslim woman in Sri Lanka must discover within her mind if not out in the world: 'Where could,' asks the speaker of 'Woman', 'I hide myself?' This speaker is too much to be hidden, too fertile, too omnipresent:

> I am a burgeoning treasure,
> under the earth.
>
> I am the sky
> that has swallowed up
> salt from a mutinous sea.

It's only easy to hide if you're a small person who doesn't matter much. Should the whole world wear your feelings, and your energies verge on riot, it's harder to elude prying eyes. These poems ask, can a woman escape sexual and state violence without shrinking herself down? Consider the locked-in syndrome of the woman in the following poem, 'Curse': '*He* fucks without knowing / how far away I am'. This removed or submerged state is explored through metaphors of interiority: 'The wreckage of a landslide lies / exposed to eye and air. While deep / down the volcano smoulders' ('Mobile with No Incoming Calls'). But this survival tactic can go too far, as one's armour or camouflage or invisibility-shield becomes impossible to remove. Returning to 'Curse':

> I look closely
> to see who I am.

*Where did I get lost?*
A nameless wraith.

Does introspection toughen who we are, or cause the slain alias shimmering in the mirror to dissolve? Maybe it does both.

This problem is also political. Sri Lanka isn't a safe place for Muslims: the Buddhist-Sinhala government targets them as it does Hindu Tamils. It erases their histories and purges from the record violent acts committed against them. So Anar's poetics is also about becoming 'nameless' and 'shapeless' in the eye of the state. One doesn't know always whether to read her from the viewpoint of sexual relations or with an eye to politics; analysing the verse (or translating it), it would be wrong to simplify a wealth of meanings into a single explicable voice. Anar is out to surprise the reader, through sleights-of-tongue to demonstrate the connection between the personal and the political. A poem may start from a defiantly female perspective, 'used to seeing blood every month', yet that phrase ramifies until it isn't only about menstruation, but also rape, murder, and the normalisation (with stories breaking 'every month') of violence within a Sri Lanka of 'torture-camps', 'revenge', 'crazed streets', and 'the battlefield' in whose aftermath – as Anar observes of the civil war usually dated 1983-2009 – killers 'have been promoted. / They are honoured by our leaders.'

'Killing a Woman' moves in the opposite direction. Here we begin with the 'battlefield', only to realise this is the first of a series of metaphors evoking a woman's body. Without denying that war has been a determining reality for Sri Lankans of all stripes, Anar adds to her country's literature poems daring to use such language figuratively, to evoke everyday female experience: 'Before my eyes / my murder is happening.' A Muslim woman in Sri Lanka may be raped or shot; or made to disappear in less pinpointable ways.

The paradoxical time-trick of this poem's ending expresses a recognisably Sri Lankan condition of crisis where shocking events happen and one can't keep up. The poet wonders, first, how she can write of anything except such horrors; and, second, if she does do so, how to avoid becoming a journalist. Especially since journalism is so desperately required, and must be protected against censorship, if the citizenry is to know what's going on. The killed journalist, Lasantha Wickrematunge, really did see his murder happening 'before his eyes', or about to: that's why he wrote – having fought the government's lies and been threatened many times – an editorial published after his death, accusing his murderers from beyond the grave. The Tamil poet must believe in forms of writing, remembrance, that can function as news but also transcend the ephemerality of that medium – in 'news that stays news', as Ezra Pound put it. Elegizing another murdered journalist, Chandrabose Suthagar, Anar insists that even with him gone, the writings he leaves behind 'whisper' to her; in exchange, she brings a poem – 'I wrote it with silences' – to his grave. And in 'News Report', which begins, 'It has been four hours since / the murder happened', she describes a corpse, then tries to imagine the murderer. She presses back, that is, against such automatised unfeeling as is brought about by the normalisation of atrocity – by italicizing a newspaper cliché, then peering beneath its surface:

> Perhaps now, the *unidentified killer*,
> worn-out and weary from the deed,
> is sipping his beer somewhere, sending
> a text to his leader: an update.
>
> A broken machine explodes
> into smoke.
> Soot covers the nation's face.

The power of this derives from the shift from the inhumanely trivial – arising of a machine-language, where people act like machines and use machines to 'update' each other on what they've done – to the idea of the 'nation' as itself a broken, exploding machine, as well as a soot-covered face.

We can't read poetry like this in the same terms as understated, mainstream, Anglo-American lyrics terrified of being seen as pretentious or grandstanding or old-fashioned. Instead, Anar's poem reminds me (I don't mean she's influenced by him) of the nation-critique of the Romantic poet William Blake:

> How the Chimney-sweepers cry
> Every blackning Church appalls,
> And the hapless Soldiers sigh
> Runs in blood down Palace walls

Anar doesn't have the time or the inclination (or the condition of safety) to write minor, modest, merely personal poems. Her unembarrassed intensities may catch some Anglophone readers off-guard. But she also writes fragilely alive lyrics of surpassing poise, reminding me on one occasion of the Lithuanian-Polish poet Czesław Miłosz, whose 'Song of Porcelain' discusses the saucers and tea-cups that, smashed or lost in war-time, connote the fragility of civilization itself. Or, as Anar has it in 'Mobile with No Incoming Calls':

> In the walls of the house, splitting
> cracks appear. The crystal vase,
> dusted and cleaned with great care
> yesterday, slipped from my startled
> hands and smashed into fragments.
>
> In the new dress of a child, the stitching
> comes undone. From the saved number
> no call comes to my mobile, at all.

These lines evince a sensibility embedded in time and place (and religion, and gender) – opposing the amnesia described by Gordon Weiss, a former UN ambassador, when he explains that unlike the nations of the developed West, it isn't assumed within Sri Lanka (by those in power) that a country must come to terms with its past – rather than denying it – before moving on. Because of this, Tamil poetics is deontic: it manifests a counter-spirit of memorialisation; and one empathises with those who feel that for such poems to be altered into English constitutes a form of airbrushing, if not appropriation, through the overlay of a globally-dominant language – a further erasure. Yet if the record is to be amended on the world-stage, we need more collaborations of the kind so marvellously evidenced here. Only through the author's, and her translators', 'great care', has the beating heart of Anar's poem been extracted and airlifted across the ocean in its bed of ice finally to be transplanted into English. To read Rajaledchumy and Lock's versions of Anar's poems is to identify with its speaker who, 'though used to seeing blood every month', is astonished afresh: I feel as if I'm reading Anar's poem itself 'for the very first time'. The phone call comes through. A Sri Lankan poem begins to whisper to me.

Vidyan Ravinthiran

Anar (Issath Rehana Mohamed Azeem) is a distinguished voice in the Sri Lankan Tamil poetry scene with five critically acclaimed collections to her name. She has been contributing her poems and articles to literary magazines and national media since the early 90s. Several of her poems have been translated into English and have appeared in anthologies and journals.

Her books have won several awards, most notably the Government of Sri Lanka's National Literature Award, the Tamil Literary Garden's Poetry Award (Canada), the Aaathmanam Award (India), the SPARROW Award (India), and the Vijay Award for Excellence in the Field of Literature (India).

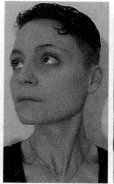

Hari Rajaledchumy is an artist/writer currently based in London. Her recent writings have appeared in *Manalveedu* (India) and *Aaakkaddi* (France). She worked as a translator on Kim Longinotto's 2013 documentary film *Salma*, based on the life and works of the Indian Tamil poet. In 2021, she co-curated the inaugural edition of the 'Queer/trans Collaborations: Sri Lanka' study programme that strengthens queer cultural production within Sri Lanka.

Fran Lock is the author of numerous poetry collections, most recently *Hyena! Jackal! Dog!* (Pamenar Press, 2021) and *Contains Mild Peril* (Out-Spoken, 2019). She earned her Ph.D. from Birkbeck College, University of London, focusing on 'Impossible Telling and the Epistolary Form: Contemporary Poetry, Mourning and Trauma'.

Vidyan Ravinthiran is an award-winning poet and academic. His most recent collection, *The Million-petalled Flower of Being Here* (Bloodaxe Books, 2019), won a Northern Writers Award and a PBS Recommendation, was shortlisted for both the Forward Prize for Best Collection and T.S. Eliot Prize.

# About the Poetry Translation Centre

Set up in 2004, the Poetry Translation Centre is the only UK organisation dedicated to translating, publishing and promoting contemporary poetry from Africa, Asia, the Middle East and Latin America. We introduce extraordinary poets from around the world to new audiences through books, online resources and bilingual events. We champion diversity and representation in the arts and forge enduring relations with diaspora communities in the UK. We explore the craft of translation through our long-running programme of workshops which are open to all.

The Poetry Translation Centre is based in London and is an Arts Council National Portfolio organisation. To find out more about us, including how you can support our work, please visit: www.poetrytranslation.org.

## About the World Poet Series

The *World Poet Series* offers an introduction to some of the world's most exciting contemporary poets in an elegant pocket-sized format. The books are presented as bilingual editions, with the English and original-language text displayed side by side. They include specially commissioned translations and completing each book is an afterword essay by a UK-based poet, responding to the translations.